H. et A. Fischer-Nagel

Les souris

De Boeck	Bruxelles
G Gamma	Paris
Ecole Active	Montréal

LEXIQUE

Illustrations p 34 : Felix Labhardt
p 37 : Klaus Bagon

Accouplement (l'-m): union sexuelle d'un mâle et d'une femelle dans le but de se reproduire, c'est-à-dire de créer de nouveaux êtres vivants semblables aux parents.

Cellule (la): la plus petite partie d'un être vivant. Ton corps est formé de plusieurs milliards de cellules.

Céréale (la): plante dont les graines servent de nourriture aux hommes et aux animaux domestiques (blé, seigle, avoine, maïs, riz...).

Chaîne alimentaire (la): succession d'êtres vivants qui se nourrissent les uns des autres.

Cordon ombilical (le): sorte de tuyau qui relie le petit à sa mère dans le ventre maternel.

Embryon (l'-m): premier état d'un être vivant depuis la *fécondation* jusqu'à la période où il a pris les formes propres à son espèce.

Engourdissement (l'-m): ici, sorte de paralysie de tout le corps.

Être en chaleur: être prêt à s'accoupler.

Fécondation (la), **féconder**: réunir les *cellules* mâles et femelles pour créer un nouvel être vivant.

Gestation (la): période pendant laquelle la femelle *mammifère* porte ses petits dans son ventre.

Glande (la): *organe* qui « fabrique » une matière spéciale, comme le lait maternel, la salive, les larmes...

Insectivore (adj): qui se nourrit d'insectes.

Litière (la): paille ou foin répandu dans une étable, une cage ou un terrier pour que l'animal puisse s'y coucher.

Mamelle (la): les mamelles sont des *glandes* placées sur le ventre ou la poitrine des femelles. Elles produisent le lait qui va nourrir les petits.

Mammifère (le): animal vertébré (ayant une colonne vertébrale et un squelette) dont le corps est souvent couvert de poils. Les petits naissent déjà formés et se nourrissent en tétant le lait maternel.

Membrane (la): enveloppe qui protège un *organe*, un *embryon*.

Mettre bas: accoucher, pour des animaux.

Odorat (l'-m): celui des cinq sens qui permet de sentir les odeurs.

Organe (l'-m): partie d'un *organisme* qui a un rôle précis: la vue pour les yeux, le déplacement pour les jambes...

Organisme (l'-m): ensemble des *organes* qui forment le corps d'un être vivant.

Ouïe (l-m): celui des cinq sens qui permet d'entendre les sons.

Pelage (le): ensemble des poils d'un *mammifère*.

Portée (la): tous les petits qu'une femelle *mammifère* porte en elle et met au monde en une fois.

Prédateur (le): animal qui se nourrit de proies, c'est-à-dire d'autres animaux.

Se recroqueviller: se replier sur soi-même.

Soudé (adj): collé, fixé.

Stérile (adj): qui ne peut engendrer de petits.

Reproduction (la): possibilité, pour des animaux et des végétaux, de donner naissance à des êtres semblables, pour assurer la continuité de l'espèce.

Toucher (le): celui des cinq sens qui permet de reconnaître, en palpant, la forme et l'état extérieur des êtres et des choses.

Vibrisse (la): long poil poussant sur le museau de certains mammifères (« moustaches »).

© Kinderbuchverlag Reich Luzern AG., 1987
Titre original: Blick Durcks Mauseloch
ISBN 3-276-00052-0

© De Boeck-Wesmael, Bruxelles 1987
D 1987/0074/27
ISBN 2-8041-0949-6

Exclusivité en France:
Éditions Gamma
77, rue de Vaugirard
75006 PARIS
ISBN 2-7130-0846-8
Dépôt légal: D 1987/0195/20

Exclusivité au Canada:
Les Éditions École Active
2244, rue Rouen
Montréal H2K 1L5
Dépôts légaux:
1e trimestre 1987
Bibliothèque nationale du Québec
Bibliothèque nationale du Canada
ISBN 2-89069-127-6
Imprimé en Belgique

«Quand le chat est parti, les souris dansent» dit un proverbe. Ce n'est pas tout à fait vrai : personne n'a jamais vu des souris danser. Mais regardons-les vivre : elles vont quand même nous étonner.

Il y a 8000 ans, quand nos ancêtres ont commencé à cultiver des *céréales,* les souris ont compris qu'il serait plus facile de trouver à manger dans les réserves de grains que dans la nature. Elles se sont donc installées dans les maisons et les greniers.

Bien nourries, à l'abri de leurs ennemis naturels, elles se sont *reproduites* rapidement... C'est devenu en peu de temps une véritable catastrophe. Il y avait trop de souris : elles infestaient les maisons, pillaient les réserves de nourriture et, surtout, transmettaient aux êtres humains des maladies dangereuses, souvent mortelles.

Dans certains pays du monde, les souris, considérées comme des créatures divines, étaient même élevées et nourries dans des temples. Au Moyen Âge, on préparait encore des remèdes et toutes sortes de potions étranges à base de souris parce qu'on croyait au pouvoir magique de ces animaux.

Depuis quelques dizaines d'années, les hommes élèvent des souris, qui sont presque toutes destinées aux expériences scientifiques en laboratoire. C'est un destin cruel contre lequel se battent les amis des animaux. Mais il faut savoir que le sacrifice de ces petites bêtes a permis aux chercheurs de mettre au point des remèdes qui ont sauvé bien des vies humaines.

Les souris ont été souvent choisies comme personnages de dessins animés. Comme Mickey Mouse, elles sont alors charmantes, malignes et sympathiques. Mais qui aime les «vraies» souris ?

Nous avons voulu connaître celles qui vivent chez nous, celles qui grattent, croquent, grignotent chaque nuit dans notre cuisine.

Voici ce que nous avons découvert...

Les souris domestiques appartiennent à l'ordre des rongeurs, comme les rats et les hamsters. Elles se sont développées dans le monde entier parce qu'elles survivent partout où il y a des hommes et parce qu'elles se reproduisent très vite, mais surtout grâce à leur immense faculté d'adaptation.

La souris domestique n'est pas très grande. Elle mesure 6 à 10 centimètres, sans compter la queue, aussi longue que le corps.
C'est un animal discret : on ne remarque pas toujours sa présence dans une maison !

5

Nous avons surpris ces deux-ci par hasard. L'une contre l'autre, dans un coin de la cave, elles étaient en train de grignoter...

Il a fallu les observer plusieurs soirs de suite pour découvrir qu'il s'agissait d'un mâle et d'une femelle. Nous en avons été certains quand nous les avons vus *s'accoupler*. La souris femelle *est en chaleur* tous les 3 à 6 jours. Dès qu'il en est averti, le mâle commence à la poursuivre, à la flairer, à la lécher, jusqu'à ce qu'elle place sa longue queue sur le côté et qu'elle redresse l'arrière-train. Le mâle grimpe alors sur son dos et lui injecte sa semence. L'*accouplement* ne dure que quelques secondes !

En dehors de ce bref moment, il est assez difficile de distinguer un mâle d'une femelle sans les prendre en mains. La queue du mâle est plus épaisse, plus allongée et moins arrondie que celle de la femelle,

particulièrement à l'endroit où elle s'attache au corps.

Les souris vivent en groupes composés de plusieurs grandes familles.

Les femelles construisent des nids communs où elles élèvent ensemble leurs petits.

Dans la nature, les souris bâtissent leurs nids avec du foin ou de la paille. Elles ont besoin d'un nid pour leurs petits, d'un autre pour dormir, d'un autre encore pour amasser leurs provisions.

Dans une cave comme la nôtre, on trouve tout ce qu'il faut pour construire un nid confortable : du carton, du papier, des bouts de tissu, de la laine... Mais cela ne suffit pas à notre femelle. Juste après l'accouplement que nous avions observé, elle se met à fouiner dans toute la maison. La voici, ravie, devant un panier rempli de chaussettes : un vrai trésor !

La petite souris attrape une chaussette rouge, la traîne aussi vite que possible jusqu'à un trou creusé dans le mur... et disparaît.

À travers un réseau de galeries, elle va tirer la chaussette dans la cave.

Son nid commence à prendre forme. Elle le fait plus ou moins épais selon la température de la pièce et le nombre des femelles qui l'utiliseront. Il faut absolument un minimum de 30 degrés pour les petits : si la température n'est pas suffisante, la souris construira son nid ailleurs.

Les souris qui vivent à l'extérieur passent leur temps à chercher de la nourriture, à rassembler des provisions et à creuser des galeries sous terre pour y faire leurs nids. Elles sont très vives et suffisemment rapides pour échapper aux *prédateurs* qui les guettent jour et nuit. Quand il fait particulièrement froid et que la nourriture manque, il peut arriver qu'elles tombent dans une sorte d'*engourdissement* qui les rend insensibles, pour un temps, au froid et à la faim. Mais plus souvent, elles cherchent refuge dans les granges et les maisons. Les souris domestiques n'ont pas ce genre de problèmes. Comme elles trouvent chaque jour, été comme hiver, de la nourriture en abondance, elles n'ont plus d'effort à fournir et sont moins vives, moins habiles que les autres.

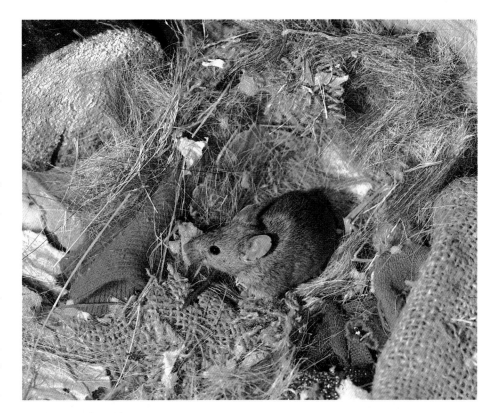

Après 20 ou 21 jours de *gestation,* une femelle *met bas,* de nuit, en très peu de temps, de 4 à 13 petits. La « nôtre » a mis au monde 7 souriceaux. En une demi-heure à peine, allongée dans le nid, elle les a éjectés l'un après l'autre.

Elle a déchiré la *membrane* qui entourait chaque souriceau, a sectionné le *cordon ombilical* puis a léché tous ses petits pour les nettoyer et les sécher. Ils ont vite trouvé les *mamelles* de leur mère et ont commencé à boire son lait.

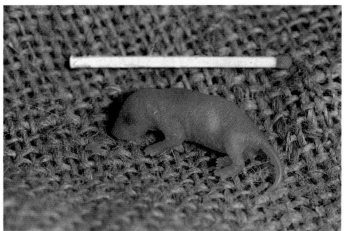

À la naissance, les souriceaux ne sont pas très beaux : ils sont roses, nus, aveugles, leurs oreilles sont encore fermées et leurs orteils *soudés*. On voit déjà leurs petites dents de rongeurs et leurs *vibrisses*. Queue comprise, ils ne sont pas plus longs qu'une allumette et ne pèsent qu'un gramme. Une noisette est trois fois plus lourde !

Les souris sont des animaux nidicoles. Cela veut dire qu'à la naissance, elles sont fragiles, trop faibles pour se débrouiller seules. Elles restent au nid jusqu'à ce qu'elles soient assez fortes.

D'autres animaux, comme le canard, sont nidifuges : ils sont capables de marcher et de se nourrir seuls dès les premières minutes.

Quand on assiste à une naissance de souriceaux, il faut absolument éviter le moindre bruit : si la mère prend peur, elle risque de manger ses petits !

Quand un danger menace, la souris déménage. Elle saisit ses petits dans sa gueule, par la peau du cou ou du ventre, et les transporte ainsi dans un autre coin. Dès qu'ils sont soulevés de terre, les souriceaux se recroquevillent et se laissent pendre, sans bouger.

Les poils des petites souris commencent à pousser à partir du deuxième ou du troisième jour (à droite). En deux semaines, ils

couvrent la tête, puis le dos, les côtés et enfin le ventre (pages suivantes).

C'est aussi entre le treizième et le quinzième jour que s'ouvrent leurs yeux ronds en forme de boutons, et qu'ils voient pour la première fois tout ce qui les entoure. Les souris n'ont pas une bonne vue. Mais il leur suffit de pouvoir repérer l'approche d'un ennemi. Elles s'orientent uniquement par le *toucher* et par l'*odorat*.

Les oreilles des petits s'ou-vrent très peu de temps après leurs yeux. Leurs or-teils se séparent.

Quand ils étaient à peine âgés d'une semaine, les souriceaux essayaient déjà de se redresser. Mais ils étaient encore faibles et maladroits. Quatre jours plus tard, ils sont capables de tenir sur leurs pattes et de faire quelques pas.

Sans arrêt, la femelle s'af-faire à nettoyer le nid et à lécher ses petits. Les souris sont des animaux très pro-pres. Même les adultes consacrent beaucoup de temps à se laver les uns les autres en se léchant le *pe-lage* et surtout les oreilles.

La vie commune est très importante chez les souris. Le chef du groupe est toujours un vieux mâle, plus puissant que les autres, qui a mérité sa place en battant tous ses adversaires. Il marque de son urine la frontière qui sépare son territoire de celui des autres groupes.

Les souris sont de bonnes mères, elles ne manquent pas de courage.

Pour défendre leurs petits, elles n'hésitent pas à sauter, rapides comme l'éclair, à la gorge de leur ennemi, qu'il soit chien ou chat, pour le mordre sauvagement ; elles se battent parfois jusqu'à la mort.

Le mâle n'intervient que si des souris « étrangères » à sa famille se risquent sur son territoire. Il se bat alors comme un lion pour repousser les envahisseurs aux frontières.

Les petits s'exercent déjà à ronger et à grignoter. Bientôt, ils seront capables de manger et de boire seuls. Mais leur mère continuera à les nourrir jusqu'à ce qu'ils quittent le nid.

À quatre semaines, les souriceaux partent explorer la cave : ils sont maintenant capables de se débrouiller seuls.

Excitées par la curiosité et par la gourmandise, les jeunes souris fouillent tous les coins de la pièce. Elles ont repéré l'entrée du nid avec leurs fines vibrisses : aucun risque de se perdre !

Mais leurs grandes oreilles roses restent aux aguets. Les souris communiquent entre elles par de petits cris plus ou moins aigus. Elles signalent ainsi à quelle famille elles appartiennent, annoncent qu'elles ont trouvé de la nourriture, ou avertissent d'un danger.

Leur *ouïe* est excellente. Elles peuvent même entendre des ultrasons, que nous sommes incapables de percevoir.

Mais cela ne les protège pas de leur ennemi le plus rusé, qui se déplace sans un bruit : le chat aux pattes de velours.

Une vieille histoire raconte comment un joueur de flûte, en jouant simplement de son instrument, entraîna derrière lui tous les rats d'une ville jusque dans le fleuve où ils se noyèrent.

Cette histoire contient en tous cas une bonne part de vérité : les souris aiment la musique. Dès qu'elles entendent une mé-lodie, elles sortent de leur trou pour l'écouter.

Aujourd'hui, on n'est plus obligé de jouer de la flûte pour se débarrasser des souris : il y a des pièges, des poisons, et des appareils qui produisent des sons très aigus, que nous ne pouvons pas entendre, mais qui percent les oreilles des souris et les font fuir.

Les souris ont un excellent odorat. Grâce à lui, elles trouvent de la nourriture, reconnaissent les limites de leur territoire et les membres de leur famille. Mâles et femelles se reconnaissent aussi à l'odeur.

Quand une souris quitte le nid, elle suit des pistes odorantes, marquées avec de l'urine, qui la conduisent directement à nos provisions ! Aucun obstacle ne l'arrête : elle entre partout, grimpe jusqu'à la cuisine dans les conduites d'eau ou le long des fils électriques. Ensuite... elle ronge !

Comme des acrobates, les souris montent et descendent le long de cordes minces, enroulant leur queue pour ne pas tomber. Nous pouvons cacher nos provisions n'importe où : rien ne sera jamais hors d'atteinte ! Cette fois, les souris ont trouvé des paquets entiers de nouilles, de pois et de haricots. Quelle aubaine ! Inutile de les transporter jusqu'au nid : il suffit de se servir ici.

Qui peut rester insensible devant un aussi gros morceau de fromage ? En principe, les souris préfèrent les graines, mais quand elles n'en trouvent pas, elles mangent n'importe quoi : des biscuits, du gâteau, du pain, les restes d'un repas... et du fromage. Les hommes ont toujours cherché à se débarrasser des souris. On peut utiliser, comme ici, un piège qui ne blesse pas l'animal. On le relâche ensuite dans la na-

ture, loin de la maison. Nous avons ainsi mis à la porte des dizaines de souris avec un seul morceau de fromage. Nous préférions ne pas les empoisonner.

Aussi mignonnes que puissent être les souris, il ne faut pas oublier les dégâts qu'elles peuvent causer : elles pillent la nourriture et la gâchent, car elles laissent derrière elles, quand elles mangent, de petites crottes et de l'urine.

Voici un redoutable chasseur de souris : habile et patient, un chat peut rester immobile pendant des heures à guetter sa proie. S'il bouge une seule patte, la souris le repère et ne quitte pas son trou.

Mais notre chat est encore trop jeune pour être patient : il passe une patte dans le trou pour essayer d'attraper quelque chose. Bien entendu, il n'a aucune chance.

Les chouettes sont encore plus dangereuses que les chats, car elles volent sans bruit dans le noir et fondent, toutes griffes dehors, sur les souris étourdies. Elles ne laissent aucune chance à leurs victimes.

Dans notre cave, les souris n'ont rien à craindre. Les petits peuvent donc jouer tranquillement dans cette vieille chaussure. Ils grimpent, sautent, se glissent derrière la languette, passent la tête par les trous. Les souris qui vivent dans les maisons ne sont pas dépendantes des saisons, elles n'ont jamais froid ou faim. Elles se reproduisent donc tout l'année.

Une femelle peut mettre au monde, chaque année, quinze *portées* de souriceaux. Rien d'étonnant donc à ce que les souris

deviennent très vite envahissantes. Celles qui vivent à l'extérieur sont éliminées en partie par les prédateurs, le manque de nourriture et, parfois, des hivers trop rudes. Malgré cela, à chaque printemps, les souris sont là, en nombre bien suffisant !

Elles ne se reproduisent qu'entre le printemps et l'automne, pour que leurs petits aient une chance de survivre.
En servant de nourriture à d'autres animaux, elles tiennent une place importante dans la *chaîne alimentaire*.

Voici d'autres espèces de souris.
À gauche, un mulot sylvestre. Son nom n'est pas tout à fait exact, puisqu'il vit aussi dans les champs et dans les dunes. On le reconnaît surtout à ses pattes claires.

Le campagnol roussâtre (en haut à droite) est un animal nocturne.
Il vit dans les bois, les buissons et les haies. On le reconnaît à ses petites oreilles cachées dans son pelage et à sa tête ronde.

Au centre, voici un mulot à collier roux, qui habite dans les bois et les parcs, dans des arbres creux ou sous des pierres.

Nous avons aussi photographié une musaraigne d'eau, qui ressemble à une souris mais qui appartient à l'ordre des *insectivores*, comme les taupes et les hérissons. Sa plus proche parente est la musaraigne commune, petit mammifère qui pèse entre 2,5 et 7,5 grammes.

Dans la nature, les souris sont victimes des renards et des chats, qui n'abandonnent jamais la poursuite. Les souriceaux naïfs sont des proies faciles pour ces deux chasseurs !

C'est précisément pour éviter que l'espèce ne soit menacée que les souris donnent naissance à de si nombreux jeunes.

Quand trop de souris se partagent le même territoire et qu'il n'y a plus assez de nourriture, la nature fait preuve de sagesse : les jeunes femelles restent *stériles* pendant un certain temps pour que le nombre des souris n'augmente plus.

Les souris blanches ou tachetées comme celles-ci n'existent pas dans la nature. Elles sont produites dans les élevages et on peut les acheter dans les magasins spécialisés.

Quel que soit leur aspect, elles ont toutes comme ancêtre la souris domestique.

Tu peux élever des souris en cage : c'est une amusante compagnie. Mais il faut bien les soigner, et changer la *litière* tous les deux jours pour qu'elle ne sente pas mauvais. Il faudra que l'eau reste propre et que les mangeoires soient solidement fixées à la cage.

35

Tes souris auront aussi besoin d'un abri pour dormir et d'une roue mobile pour faire de l'exercice. Tu leur donneras un peu d'herbe et du foin pour construire leur nid. Tu les nourriras avec des graines de tournesol, du riz, du millet... Il serait peut-être plus facile d'acheter un sac de graines mélangées! Tu pourras y ajouter du pain sec, de la salade, des pommes de terre cuites, des concombres et des raisins secs. Donne-leur aussi un bout de bois à ronger pour qu'elles gardent les dents saines.